# een reep en nog een reep

Ann[illegible]n

teken[illegible] Meirink

Zwijsen

## zin in een reep

mam, mag ik een koek?
nee, zegt mam.
mag ik dan een reep?
loek kijkt heel lief.
ik doe het, zegt mam.
ik geef je een reep.
maar nou nog niet.
je moet er wat voor doen.
dit boek is voor oom koos.
geef jij hem dit boek?

ik mag geen koek
maar wel een boek.
ik mag niet laat op zijn
maar wel er uit
en dat is niet fijn.
mam zegt: gil niet en ren niet
we gaan naar oom piet.
ik wil geen zeep
maar wel die reep.

het is raar maar waar.
ik zeg: wat leuk.
en mam zegt: wat naar.

## doe jij wat voor mij?

loek loopt naar oom koos.
kijk, zegt loek.
hier is een boek voor jou.
oom koos kijkt op.
fijn, loek! zegt hij.
wil jij een reep van mij?
en wil je ook wat voor mij doen?
hier is de boor van bas.
geef jij die boor aan hem?
bas woont niet ver weg.

loek loopt naar het huis van bas.
hij eet van de reep.
mmm, die is pas zoet.
loek belt aan bij het huis van bas.
hier is jouw boor, bas! zegt loek.
haa, fijn, zegt bas.
die boor mis ik net.
maar weet je, zegt bas.
ik mis nog een haak!
koop jij die voor me?

hier is een reep voor je.
eet die maar op.
fijn! zegt loek.
een reep wil ik wel.
en ik koop die haak voor jou.
ik loop wel naar tom.

**nog meer!**

daar moet loek zijn!
loek ziet er een haak.
wat een? wel tien!
loek koopt een haak voor bas.
wat lief van jou! zegt tom.
wil jij een reep van mij?
mmm, zegt loek.
loek loopt naar bas.
hij geeft de haak.
wil je nog wat doen? zegt bas dan.

boef moet uit.
boef rent.
loek niet.
daar ziet loek sam.
sam is net zes.
wil jij ook een reep? zegt sam.

loek loopt weer naar bas.
zijn buik zit wel vol.
dat was fijn voor boef, zegt bas.
hier is nog een reep voor jou!
heel fijn, zegt loek.
maar wat ziet loek wit ...

## geen zin in een reep

loek gaat naar huis.
dag mam, zegt loek.
waar was je nou? zegt mam.
je was wel vier uur weg!
fijn dat ik je weer zie.
gaf je het boek aan oom koos?
hier is je reep.
die wil je nou wel!
nee, mam, zegt loek.
ik hoef geen reep.

geen zin in een koek
geef mij maar een boek.
ik wil niet laat op zijn
mijn buik doet pijn.
ik ren niet en gil niet
je weet niet wat je ziet.
ik was me met zeep
ik ben naar van die reep.

het is raar maar waar.
een reep is fijn.
maar tien dat doet pijn!

## Serie 6 • bij kern 6 van Veilig leren lezen

*Na 16 weken leesonderwijs:*

**1. reus is ziek**
Frank Smulders en
Leo Timmers

**2. ben wil een vis**
Marianne Busser &
Ron Schröder en
Gertie Jaquet

**3. ik pas op het huis**
Maria van Eeden
en Jan Jutte

**4. dat kan ik ook!**
Lieneke Dijkzeul en
Mark Janssen

*Na 19 weken leesonderwijs:*

**5. een reep en nog een reep**
Annemarie Bon en
Tineke Meirink

**6. juf is te dik**
Anke de Vries en
Alice Hoogstad

**7. waar legt pauw haar ei?**
Martine Letterie en
Marjolein Krijger

**8. het hok van geit**
Dirk Nielandt en
Nicole Rutten